Etre jeune en France

Francine Firmin et Janick Gazio

SPECIMEN

LIBRAIRIE HACHETTE

79, boulevard Saint-Germain/PARIS (6ᵉ)

ISBN 2-01-000245-8

© *Librairie Hachette, 1975*

Qui sont-ils ?

Ils ont de quinze à vingt-quatre ans. Ils sont plus de huit millions : quatre millions de jeunes gens, quatre millions de jeunes filles. Vous les rencontrez dans les écoles ou dans les ateliers*, dans la rue ou dans les Maisons de Jeunes, à la campagne ou plus souvent à la ville. Ils ont leurs journaux, leurs lieux de rencontre, leurs objets préférés : la moto, le flipper*, leur langage particulier, leur vision du monde. C'est une société à l'intérieur de la société française. C'est le monde des jeunes.

Tous semblables ? On pourrait le croire parfois : mêmes cheveux longs, même façon de s'habiller ; et pourtant, à y regarder d'un peu plus près, les jeunes de France sont loin de former un groupe uni. Qui sont-ils ?

Tournez la page et vous allez faire immédiatement connaissance avec cinq d'entre eux. C'est peu mais déjà suffisant. D'autres apparaîtront dans les pages suivantes, des jeunes Français eux aussi toujours les mêmes et toujours différents.

* Les mots suivis d'un astérisque(*) sont définis dans un lexique à la fin de l'ouvrage.

Joël : 15 ans, habite un Foyer de jeunes travailleurs*, près de Bordeaux. Il étudie dans un Centre de formation d'apprentis ou C. F. A.* comme apprenti* ajusteur. Père : ouvrier, mère : ouvrière.

Patrick : 23 ans, étudiant. Habite une chambre en ville, à Paris. Père : médecin, mère : reste à la maison.

Nathalie : 18 ans, lycéenne, habite chez ses parents à Paris. Père : employé de banque, mère : secrétaire.

Gilbert : 19 ans, habite à la ferme de ses parents à Merdrignac où il travaillait avant de partir faire son service militaire. Père et mère : fermiers.

Robert dit « Bébert-le-dur » : 17 ans, sans travail, attend le service militaire, habite chez ses grands-parents, à Limoges. Père : gardien d'usine, mère : morte.

Josiane : 17 ans, vendeuse à Prisunic, habite chez ses parents à Toulouse. Père : ancien fermier devenu chauffeur, mère : femme de ménage.

Philippe dit « Cochise » : 22 ans, habite pour l'instant en communauté* avec d'autres garçons et filles, dans une ferme à Vieux Noyer (Pyrénées), élève des chèvres, fait des ceintures de cuir. Père : industriel, mère : actrice.

Combien sont-ils ?

4 146 000 jeunes gens et jeunes filles âgés de 15 à 19 ans.
(2 019 000 garçons et 2 037 000 filles)
4 404 400 jeunes gens et jeunes filles âgés de 20 à 24 ans.
(2 266 500 garçons et 2 137 900 filles)
(en janvier 1973)

Où habitent-ils ?

1. Les jeunes sont plus nombreux dans les villes qu'à la campagne (Beaucoup d'entre eux voudraient habiter Paris ; mais d'autres, de plus en plus nombreux, souhaitent revenir à la campagne). Par exemple, en 1946, 8% des gens de la campagne avaient entre 15 et 19 ans ; en 1962, ils n'étaient plus que 4,5%.

2. La plupart vivent chez leurs parents, souvent même ceux qui travaillent. Les autres habitent dans une cité universitaire* (étudiants) ou dans un Foyer de jeunes (ouvriers, apprentis, etc.) ou dans une chambre qu'ils louent.

Que font-ils ?

Parmi les jeunes de 15 à 19 ans :

      50,5% des garçons ⎫
      42,8% des filles   ⎭ font un travail.

Parmi les jeunes de 20 à 24 ans :

      79,3% des garçons ⎫
      61,3% des filles   ⎭ font un travail.

(1er mars 1968)

Que font leurs parents ?

Paysans	7,6%
Ouvriers	28,5%
Employés*	7,2%
Cadres* moyens	9,3%
supérieurs	6,9%
Patrons industrie, commerce	6,9%
Sans profession-retraité*	29,8%
Divers	3,8%

Voilà les jeunes Français, nombreux, différents par leur âge (15 à 24 ans), leur origine, leurs activités et leurs idées. Et pourtant, nous le verrons, ils ont entre eux bien des points communs.

Les jeunes au travail

Les études

En France, depuis 1967, les jeunes sont obligés d'aller à l'école jusqu'à seize ans. Leurs parents peuvent les mettre dans une école publique où ils ne paient pas ou dans une école privée où quelquefois ils paient très cher. Il y a beaucoup plus d'écoles publiques que d'écoles privées.

Joël, apprenti ajusteur, Josiane, vendeuse, Patrick, étudiant et Nathalie, lycéenne, s'ils avaient habité la même ville, auraient pu se rencontrer dans la même classe à six ans, à l'école primaire*.

Mais à douze ans, Joël est entré dans un C. E. T.* où il est resté deux ans. Maintenant, il travaille chez un petit patron que ses parents connaissent bien et continue à étudier dans un C. F. A. C'est le début et il ne gagne pas beaucoup, actuellement 150 F par mois. Dans sa troisième année d'apprentissage, il gagnera environ 450 F. Il travaille cependant au moins quarante heures par semaine, parfois davantage (ces quarante heures comprennent aussi le temps passé au C. F. A.) et il est libre le samedi et le dimanche.

Josiane, elle, a eu un peu plus de chance. Ses parents l'ont aidée. Elle a passé son C. A. P.* de vendeuse. Elle gagne environ 1 350 F.

L'organisation de l'enseignement en France.

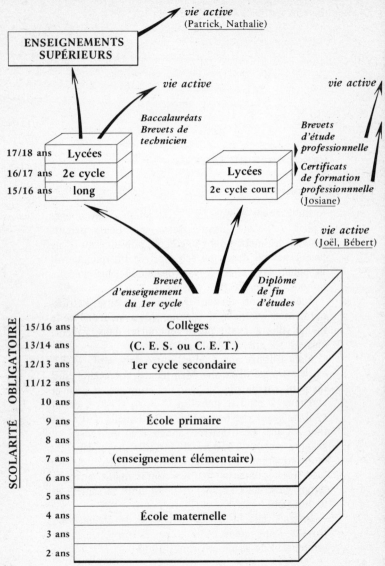

vie active
(Patrick, Nathalie)

ENSEIGNEMENTS SUPÉRIEURS

vie active

vie active

Baccalauréats
Brevets de technicien

Brevets d'étude professionnelle

Certificats de formation professionnnelle
(Josiane)

17/18 ans Lycées
16/17 ans 2e cycle
15/16 ans long

Lycées
2e cycle court

vie active
(Joël, Bébert)

Brevet d'enseignement du 1er cycle

Diplôme de fin d'études

SCOLARITÉ OBLIGATOIRE

15/16 ans Collèges
13/14 ans (C. E. S. ou C. E. T.)
12/13 ans 1er cycle secondaire
11/12 ans
10 ans
9 ans   École primaire
8 ans
7 ans   (enseignement élémentaire)
6 ans
5 ans
4 ans   École maternelle
3 ans
2 ans

10

Le père de Nathalie gagne assez bien sa vie. Il veut que sa fille ait son baccalauréat. Comme beaucoup de parents français, il pense que cet examen est important et que si sa fille ne l'obtient pas, elle n'aura pas de travail. A onze ans, Nathalie est entrée dans un C. E. S. jusqu'à seize ans. Maintenant, elle est au lycée, en classe terminale. Elle prépare le bac* B.

Patrick, lui, a fait les mêmes études, mais il a passé le bac C : il aime bien les mathématiques. Il est maintenant à l'Université. Leurs frères et sœurs plus jeunes feront sûrement des études différentes car l'Éducation Nationale pense à des changements.

Bébert, lui, a toujours eu du mal à travailler. Ses parents n'étaient jamais à la maison quand il rentrait. Il n'aimait pas l'école et préférait les motos et les voitures. Il a suivi les classes de transition* et, à seize ans, il a eu un certificat de scolarité. Maintenant il ne trouve pas de travail. Son camarade de classe, « Cloclo », était comme lui mais un jour, il a volé une moto ; il est maintenant dans un centre de rééducation*.

Joël a un ami qui, lui, est apprenti depuis deux ans dans un restaurant. Le travail commence à 8 heures : il faut mettre les tables, ranger la salle, préparer les bouteilles. Il met sa veste blanche pour servir jusqu'à 15 heures. Il se repose quelque temps puis prépare le repas du soir. Quelquefois, il finit vers 23 heures. Il est nourri et très peu payé. Le vendredi, il est libre. Il dort jusqu'à midi. Ensuite il va au cinéma ou il se promène. Il a droit à six semaines de vacances payées.

C. E. S. RODIN
19, rue Corvisart
75013 Paris

Année scolaire 1973-1974
Premier trimestre

Conseil du 11/12/73

Classe de troisième

Effectif : 28

Age moyen théorique : 14 ans

4 élèves nés en 1958
17 élèves nés en 1959
7 élèves nés en 1960

Origine socio-professionnelle

artisans* : 2
cadres administratifs moyens : 2
cadres administratifs supérieurs : 3
contremaître* : 1
employés de bureau : 2
gros commerçant : 1
ingénieurs : 3
instituteur : 1
ouvrier spécialisé : 1
petits commerçants : 2
professeurs : 3
professions libérales* : 3
techniciens : 4

Profession du fils	Profession du père au moment où son fils termine ses études		
	profession libérale cadre supérieur	agriculteur	ouvrier
profession libérale cadre supérieur	41,7	1,9	3,3
agriculteur	1,9	38,8	1,1
ouvrier	13,7	34,9	63,9
autres	42,7	24,3	31,7

INSEE, *Économie et statistique*, n° 41 de janvier 1973
(Enquête : *Formation et qualification professionnelles.*)

Sur 100 fils de cadres supérieurs, 41,7 deviendront, eux aussi, cadres supérieurs.
Sur 100 fils d'ouvriers, 63,9 deviendront, eux aussi, ouvriers.

En 1968, 90% des enfants de cadres supérieurs poursuivaient leurs études contre 29,7% de fils d'agriculteurs.

agriculteurs	29,7%
ouvriers	35,4%
employés	53,3%
cadres moyens	74,6%
cadres supérieurs	90 %

La Documentation Française : *Les Cahiers Français*,
n° 154-155, Paris, 1973.

— 63,1% des fils et des filles d'ouvriers passent par les C. E. T.
— Deux élèves sur trois préparant un C. A. P. en trois ans ont abandonné ou échoué*.

Cependant, les jeunes font de plus en plus d'études :

Niveau d'instruction des Français de 15 ans et plus	Résultats en pourcentage		
	1962	1966	1972
primaire et au-dessous	66%	58,6%	53,7%
primaire supérieur	9%	9,8%	6,4%
technico-commercial	13%	14,8%	17,7%
secondaire	8%	10,1%	15,5%
supérieur	4%	4,8%	6,7%
non déclaré	0%	1,9%	0 %

D'après ces chiffres on voit, qu'en 1962, 12% de la population française avait fait des études secondaires et supérieures et qu'en 1972 ce pourcentage est passé à 22% ; les 10% en plus sont des jeunes.

Quelques prix en France en janvier 1975

un pain : 1,20 F
un litre de lait : de 1,25 F à 1,60 F
un litre de vin : de 1,80 F à 2,50 F
un beefsteack de 100 g : de 2,50 F à 2,80 F
un petit poste de radio : de 80 F à 150 F
un magnétophone* à cassette : de 280 F à 400 F
une chambre à Paris : 350 F à 400 F par mois
            en province : 200 F à 250 F par mois

Comment les jeunes choisissent-ils leur métier ?

En fait, ils choisissent peu. On remarque, en France, qu'un enfant a souvent le même genre de métier que son père ; si son père est ouvrier, il sera probablement ouvrier, lui aussi ; si son père est agriculteur, il sera ouvrier ou agriculteur. Si son père est riche ou cadre, il choisira davantage son métier. Un enfant d'ouvrier ou de paysan peut, bien sûr, devenir cadre, mais c'est plus rare.

Ceux qui ne peuvent pas continuer leurs études après seize ans, parce qu'ils doivent commencer à gagner leur vie, peuvent, depuis juillet 1970, suivre des cours pendant leurs heures de travail. C'est le début de ce qu'on appelle la formation permanente.

Enfin les garçons doivent faire, entre dix-huit et vingt-deux ans, leur service militaire pendant un an. Ceux qui font des études peuvent attendre l'âge de

Les offres d'emploi : aujourd'hui rien, demain un métier...

vingt-deux ou vingt-trois ans. Parmi ces derniers, ceux qui le veulent peuvent faire leur service comme « coopérant », c'est-à-dire qu'ils vont, comme professeur, médecin, dentiste, vétérinaire, etc. dans les pays « en voie de développement ». Ils peuvent attendre alors l'âge de vingt-cinq ou même vingt-sept ans pour faire ce service. Dix mille jeunes partent ainsi chaque année pour l'Asie, l'Afrique ou l'Amérique.

Après seize ans ceux qui cherchent un métier

Entre seize et vingt-cinq ans il est souvent difficile de trouver du travail. En France, quarante pour cent des gens sans travail ont moins de vingt-cinq ans.

Michel nous dit : « J'ai cherché dans les petites annonces*, on demande des gens qui ont déjà travaillé. Moi, je n'ai jamais travaillé, je viens d'avoir mon C. A. P. Ou alors, on demande des garçons qui ont fait leur service militaire. Les gens ne veulent pas de moi parce que je dois partir pour l'armée, l'année prochaine. Trouver du travail ? Dans cette région, il n'y en a pas. »

Les jeunes qui cherchent du travail disent souvent : « Partout où je vais, on me demande deux ou trois ans de métier. »

Les filles, elles, disent : « Fille, j'ai tout contre moi. » Les filles ont souvent plus de difficultés à trouver du travail que les garçons, parce qu'il y a moins de bons métiers pour elles et qu'elles sont moins payées.

En général, les jeunes sont mal préparés à leur futur métier, car ils en choisissent souvent un où on n'a besoin de personne. Quand on lit les journaux, on peut voir des petites annonces comme celles-ci.

Mais il y a aussi des jeunes qui travaillent parce qu'ils ont quitté l'école qui ne les intéressait pas.

Claudine (devant une machine à coudre) : « Mon père voulait que je sois comptable* pour l'aider dans son travail, mais il fallait étudier. A l'école, il fallait toujours apprendre, mais moi j'aimais pas ça. Alors j'ai voulu gagner ma vie. J'avais des copines* qui travaillaient dans une usine, je suis allée travailler avec elles. Maintenant, j'ai changé un peu d'avis. Ici il faut toujours se dépêcher, on se pique les doigts, les journées sont dures. On a seulement une demi-heure pour manger. Heureusement, on nous permet d'écouter la radio et de parler. »

Après seize ans ceux qui continuent leurs études

Les étudiants, ceux qui étudient après le bac, vont à l'Université ou dans une grande école.

Certains étudiants reçoivent un salaire, comme à l'École Normale Supérieure. L'Université est ouverte à tout le monde. Les étudiants dont les parents n'ont pas beaucoup d'argent peuvent demander une bourse* à l'État. Ils ont la possibilité d'habiter à la Cité Universitaire, mais il n'y a pas assez de place pour tous les étudiants et les chambres sont chères, surtout à Paris. Certains étudiants se marient pendant leurs études et ils ont parfois bien du mal à vivre et à se loger. Alors, souvent, quand ils ne peuvent avoir une bourse ou quand leur bourse est trop faible, ils travaillent dans la journée, le soir et même la nuit pour payer leurs études.

Mais, même pour ceux qui font des études supérieures, il est parfois difficile de trouver du travail après leurs études. Ces études ne répondent pas toujours aux besoins de la société dans laquelle ils entrent.

On a posé cette question à des étudiants : « Quels sont vos principaux problèmes d'étudiants ? » Ils répondent :

trouver un métier	66%
réussir aux examens	47%
trouver de l'argent	44%
avoir du temps libre	23%
ne pas perdre de temps	22%
le prix des livres	19%
le service militaire	16%
trouver à se loger	15%
avoir une bonne santé	13%
les relations entre garçons et filles	11%

Le Point, n° 1, 25 septembre 1972.

Les grandes écoles

Établissements d'enseignement supérieur dirigés par l'État pour la plupart, mais indépendants des universités, les grandes écoles forment les cadres supérieurs de la Nation (enseignement, administration, armée, industrie, commerce, etc.) On y entre par un concours généralement difficile.

——————— TABLE D'ORIENTATION DES GRANDES ÉCOLES ———————

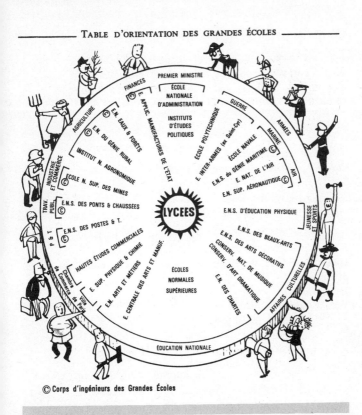

© Corps d'ingénieurs des Grandes Écoles

1 921 000 enfants, soit 41% des élèves de l'enseignement secondaire, ont des bourses. Ces bourses représentent une dépense de 1,16 milliard de Francs pour l'État.

Dans l'enseignement supérieur, les bourses vont de 1 838 F à 5 742 F par an et 28% des étudiants sont boursiers.

Documentation Française : A.G. Delion, *L'Éducation en France*,
Paris 1973.

Ce qu'ils pensent de l'école

Il est à la fois facile et difficile de le savoir. Facile parce que de très nombreuses enquêtes* ont été faites. Difficile parce que les réponses sont souvent très différentes. Par exemple :

« *L'école est-elle utile ?* »
Oui, pensent les élèves de 13 à 16 ans

de C. E. S.	68%
de lycées	57%
de C. E. T.	55%

Duquesne, *Les 13-16 ans*, Grasset

Quand on leur demande, à 14 ans : « Comment est votre professeur ? »
Ils répondent :

gentil	47%
utile et intelligent	29%
sévère	24%

. . . et pourtant, ils parlent difficilement avec lui.

Duquesne, *Les 13-16 ans*, Grasset

Mais voici un autre son de cloche :

77% des élèves ne voient pas l'utilité de ce qu'on leur enseigne.
56,8% des professeurs pensent que les programmes ne sont pas modernes.
24% des professeurs pensent que les jeunes sont insouciants*.

En mars 1973, un journal parisien a demandé à des jeunes de 14-15 ans quel était, pour eux, le plus mauvais moment de la journée ; plus de la moitié (57%) ont répondu : « Quand je pars le matin pour l'école » et 23% « le temps que je passe à l'école ». Tout le monde aussi le sait : beaucoup de lycéens s'ennuient ; ils en ont assez, ils en ont « ras-le-bol* ». Ce sont des mots qu'on entend et qu'on lit souvent. Certains disent : « Les examens, ça sert à trouver du travail, à avoir un beau métier. Sans diplôme, on ne trouve rien ». Mais d'autres pensent que l'école ne sert à rien, qu'ils apprennent plus de choses à la radio, au cinéma, à la télévision ou en voyageant ; et aussi que l'école est souvent coupée de la vie et qu'elle est construite, comme la société, avec des chefs, une trop grande hiérarchie*.

« Au C. E. T. c'est déjà l'usine ! »

« Au C. E. T. on veut nous apprendre notre métier, mais nous n'apprenons pas que cela : on nous apprend aussi la peur du patron. Nous faisons tous à peu près 40 heures par semaine ; à l'usine, nous en ferons 5 de plus. Quand nous faisons quelque chose que nous ferons aussi dans notre futur métier, on entend dire : « Si tu étais chez un patron, le patron ne voudrait pas de cela . . . Quand tu seras chez un patron, tu verras . . . Il faut travailler plus vite, car le patron n'aime pas les personnes qui travaillent lentement . . . »

Dessin de Cabu, extrait de « Le grand Duduche », Dargaud Éditeur.

Dessin de Jules Feiffer communiqué par Graph-Lit-Service.

Quand on s'étonne du manque d'intérêt que certains élèves portent à leurs études, ils nous disent : « Ce qu'on nous apprend, à quoi ça sert ? Étudier, c'est bien, mais il faut vivre. Nous ne trouverons pas de travail à la fin de nos études. On n'entre dans la vie qu'après le bac. Jusque là on est dans un œuf, on attend ... » En fait, ils ont peur d'entrer dans la société, d'avoir plus tard un métier qu'ils n'aimeront pas ; alors ils préfèrent reculer le moment de leur entrée dans le « système* ». « Faut vivre le moment présent, ne pensons pas à l'avenir ».

Sujets qui intéressent le plus les élèves :

français	19%
langues	16%
mathématiques	15%
histoire et géographie	9%
philosophie	6%

Gérard Vincent, *Le Monde Lycéen*, Gallimard, 1974.

Le réveil dans un collège technique

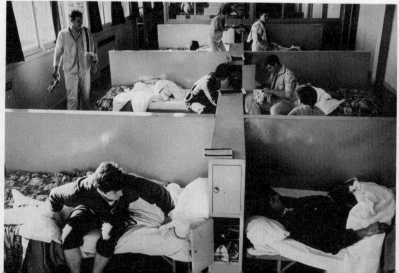

EMPLOI DU TEMPS : TERMINALE D (Section scientifique — Dernière année de lycée)

	LUNDI	MARDI	MERCREDI	JEUDI	VENDREDI
8h		Éducation physique	Philosophie	Anglais	
9h			Mathématiques	Histoire	Sciences naturelles
10h	Mathématiques	Mathématiques		Géographie	
11h				Philosophie	
12h					
13h30	Physique	Physique		Sciences nat.	Physique
14h30	Anglais	Chimie		Éducation physique	T.P. Chimie
15h30	Histoire				
16h30					

25

Les loisirs des jeunes

On dit souvent que la jeunesse est le meilleur moment de la vie : celui où l'on a le temps de s'amuser, où l'on est plus libre (on n'a pas encore de famille à élever, et l'on ne connaît pas encore toutes les difficultés des adultes, etc.). Le meilleur moment ? Peut-être pas, mais il est vrai que les jeunes ont souvent plus de temps libre que leurs parents pour se distraire*.

Quand peuvent-ils se distraire ?

Pendant les vacances surtout (plus longues pour les lycéens et les étudiants que pour les jeunes ouvriers).

Le soir (moins souvent peut-être chez les lycéens et les étudiants que chez les jeunes ouvriers ou agriculteurs).

Le samedi et le dimanche de façon générale.

Alors, que font-ils ? Et ont-ils tous les mêmes loisirs ?

L'exemple d'Amiens

Prenons un exemple : Amiens, ville française moyenne (110 000 habitants) à 130 km de Paris. Une université, des usines, la campagne tout près.

Une municipalité* active qui cherche à donner des loisirs aux habitants de sa ville.

A Amiens, comme dans beaucoup de villes françaises, on trouve des bibliothèques*, des cinémas, des cafés, des boîtes de nuit* ou des bals le samedi soir. Les sportifs peuvent aller sur des terrains de sport ou à la patinoire* (toutes les villes de France n'en ont pas). Cette ville possède, en plus, une Maison de la Culture et, dans les quartiers de la ville, des centres socio-culturels (organisés* et payés par la ville) où l'on peut voir des films, des pièces de théâtre, faire de la poterie, de la menuiserie ou simplement rencontrer des amis pour discuter.

Les lieux pour se distraire ne manquent donc pas, et pourtant une enquête, faite à Amiens, a montré d'une part qu'une partie des jeunes seulement profitait de ces loisirs organisés et d'autre part que les loisirs des jeunes de vingt ans (à Amiens et donc en France) étaient différents selon le groupe social auquel ils appartenaient : on ne se distrait pas de la même façon quand on a de l'argent ou quand on n'en a pas, quand on fait des études ou quand on est ouvrier.

Ceux qui sont favorisés :
• les **étudiants** : beaucoup d'entre eux travaillent pour continuer leurs études. Ils ne sont pas tous riches, mais ils forment souvent un groupe à part. Peu de loisirs au campus, des bals quelquefois. Aussi, ils vont en ville au café, au cinéma. Ce sont eux, surtout, qui vont à la Maison de la Culture pour voir des films, des pièces de théâtre, des expositions, faire de la photo, etc.
• les **lycéens** : ils vont sur les terrains de sport, au café, à la Maison de la Culture et surtout dans les centres socio-culturels. Mais leur distraction principale est encore le cinéma et la télévision. La plupart

vivent dans leur famille qui les nourrit, les protège et les aide.

● les **marginaux** : à côté des étudiants et des lycéens, on trouve aussi des jeunes qui ont arrêté leurs études ou qui se sont arrêtés de travailler. Ce sont souvent des enfants de fonctionnaires*, d'enseignants, de cadres. Certains vivent encore chez leurs parents. Ensemble, ils discutent (toute la journée et souvent le soir, tard dans la nuit) de voyages, d'une nouvelle façon de vivre en communauté à la campagne, par exemple. En écoutant de la musique (free-jazz, musique pop), ils parlent des objets qu'ils fabriqueront juste pour gagner un peu d'argent. Ils rêvent de faire un travail, mais un travail différent de celui qu'on leur propose. Pour l'instant, ils refusent de travailler, vivent de leurs rêves et ont soif de liberté. Ils vont parfois à la Maison de la Culture parce qu'on y rencontre d'autres jeunes.

Une Maison de la Culture qu'est-ce que c'est ?

En province, c'est un centre qui organise des loisirs : on peut y aller pour voir un film, une pièce de théâtre, écouter une conférence, voir des expositions, etc. La Maison de la Culture reçoit de l'argent de la ville, de l'État et de ses adhérents*.

Certaines maisons de la culture sont davantage faites pour les jeunes, ce sont les Maisons de Jeunes et de la Culture (M. J. C.). La Maison de la Culture d'Amiens est active : elle comprend deux théâtres (1 400 places), une discothèque*, une bibliothèque, des salles où l'on peut se rencontrer, un bar-restaurant, des ateliers, etc.

En 1972, il y avait en France huit Maisons de Jeunes et de la Culture à Amiens, Bourges, Châlons-sur-Saône, Firminy, Grenoble, Le Havre, Reims et Rennes.

Age de ceux qui vont à la Maison de la Culture d'Amiens :

      26,70% ont entre 16 et 20 ans.
      40,35% entre 20 et 30 ans.
      22,30% entre 30 et 50 ans.
      10,65% plus de 50 ans.

Leur origine sociale :

      38% étudiants
      18,21% cadres moyens
      11,78% employés
      2% ouvriers
      0,40% agriculteurs.

Ceux qui sont moins favorisés :

Pour trouver d'autres formes de loisirs, il faut quitter le monde étudiant et lycéen, et aller vers le H. L. M.*, les grands ensembles et les terrains vagues*.

● **les jeunes des H. L. M. et des grands ensembles** sont généralement nombreux, enfants de famille assez pauvre ; certains vont au lycée ou au C. E. T. d'autres, nombreux, sont en apprentissage. Leurs parents travaillent toute la journée et il n'y a pas grand-chose pour se distraire dans ces grands immeubles. Alors, ils forment des groupes de quatre ou dix, garçons et filles. Les plus riches vont au cinéma ou à la patinoire ; pour les autres, c'est trop cher. Alors, ils ne font rien et discutent dans la rue. Ils viennent avec leurs vélos* ou leurs mobylettes*, parlent de mécanique, de l'école, des discussions qu'ils ont eues avec leurs parents ou avec le gardien de l'immeuble, se battent un peu, font du bruit, etc. Ils passent le temps comme ils peuvent. Parfois ils se

« Notre monde : les copains, les courses de moto . . .
et la chanson. »

réunissent dans une chambre pour écouter de la musique ou danser.

● les **bandes** : c'est dans les quartiers pauvres qu'on rencontre le plus souvent des jeunes gens et des jeunes filles groupés en bande. Les autres en ont peur car ils sont violents ; chômeurs* parfois, ayant peu ou pas d'argent, ils forment des groupes réunis autour d'un chef (le plus fort). Habillés de cuir, couteau à la ceinture ou dans la botte*, leur plaisir : sortir la nuit, parfois voler une moto ou une auto et aller dans les bals se battre contre les autres jeunes ou contre une autre bande. Peu d'autres loisirs que le café ou le cinéma de temps en temps pour voir des films policiers.

On trouve plus ou moins de loisirs organisés selon l'importance des villes mais c'est à peu près partout le même tableau. Certains loisirs coûtent trop cher ou n'intéressent qu'une partie des jeunes c'est-à-dire les étudiants et les lycéens, pas les jeunes ouvriers et apprentis. Tous préféreraient souvent des loisirs moins organisés, simplement parfois des lieux où ils pourraient se réunir, s'organiser entre eux, danser, discuter, jouer, inventer, à des endroits qui ressemblent toujours un peu à l'école.

Où peut-on entendre des chanteurs ?

A Paris :

● dans les music-halls : l'Olympia, Bobino.
● au Palais des Sports (quand le chanteur est connu et qu'il y a beaucoup de monde pour l'écouter).
● au Théâtre de la Ville.

En province :

- dans les Maisons de Jeunes et de la Culture (M. J. C.), les théâtres, les cinémas, les gymnases parfois.
- en plein air, dans des parcs.

Quelques chanteurs de variété :

Julien Clerc
Claude François
Johnny Hallyday
Maxime Le Forestier
Guy Béart

Mireille Mathieu
Claude Nougaro
Michel Sardou
Sheila
Sylvie Vartan

Quelques chanteurs de chansons politiques :
Lény Escudero
Jean Ferrat
Léo Ferré
Serge Reggiani

Loisirs organisés

Les jeunes Français peuvent faire partie d'une association* ou d'un groupe : par exemple une association sportive ou une troupe de scouts.

Beaucoup ne prennent pas le sport assez au sérieux. S'ils veulent vraiment faire du sport, ils peuvent participer* régulièrement aux activités d'un club et on prend une licence*. Mais en 1971 la Fédération Française d'Athlétisme n'avait, par exemple, que 77 000 membres (Fédération Allemande : 600 000).

A côté des associations sportives, existent aussi des mouvements de jeunesse qui proposent aux jeunes un certain idéal*, une certaine vision* du monde.

Le rugby cher au Français du Midi

Un sport qui redevient populaire.

C'est le cas, par exemple, des mouvements scouts : les Scouts et Guides de France (catholique, 200 000 membres) ; les Éclaireurs et Éclaireuses de France (laïque, 40 000 membres) ; les Éclaireurs et Éclaireuses Unionistes (protestant, 12 000 membres) ; les Éclaireurs et Éclaireuses israélites (7 000 membres), etc. Au total 300 000 jeunes Français font du scoutisme.

Plus importants peut-être sont les trois mouvements de jeunesse chrétienne : la J.O.C. (Jeunesse Ouvrière Chrétienne), la J.E.C. (Jeunesse Étudiante Chrétienne) et la J.A.C. (Jeunesse Agricole Chrétienne). Ces mouvements sont très vivants, actifs et ouverts sur les problèmes (sociaux, politiques, etc.) du monde moderne.

Enfin il existe de nombreux clubs : théâtre, chorale, ciné-club, voile, danse, etc.

Sport

licenciés en :

football :	698 000
judo :	267 000
basket-ball :	152 000
athlétisme :	88 000
cheval :	86 000
rugby :	74 000
natation :	68 000

Et dans ces chiffres il n'y a pas que des jeunes !

Les jeunes et les organisations

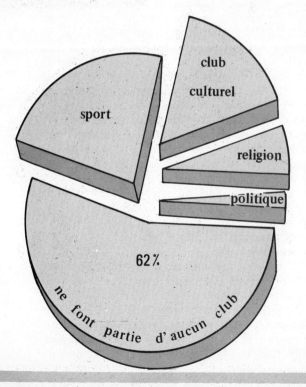

Loisirs en liberté

C'est vrai, nous venons de le voir, les jeunes n'aiment pas faire partie d'un mouvement ou d'une organisation. Et pourtant, ils vivent, ils sortent, ils s'amusent souvent en groupe. Ce sont de longues discussions au café où l'on parle de tout pendant des heures : des professeurs, du lycée, du patron, des parents, de l'avenir, de l'argent, de l'amour, etc. On reste au café une heure ou deux chaque soir . . . Quand on a de l'argent, on prend un coca pour trois ou deux cafés pour quatre. On discute, on joue au flipper, on fume jusqu'à ce que le paquet de Gauloises soit vide. « Le patron est gentil. On est entre nous. » Quelqu'un apporte avec lui sa guitare*. Un groupe se forme autour de lui. Une flûte*, un harmonica* et c'est un petit orchestre avec lequel on chante et on rit. Au café, sur le bord de l'eau, dans un parc, dans la rue parfois. Et quand on ne chante pas soi-même, on va écouter ses chanteurs préférés, un concert de jazz ou encore danser dans les boîtes de nuit, chez des amis, dans des bals. Ou bien l'on se rend en groupe joyeux dans les rares festivals organisés en France. Et c'est un peu la fête. Dans l'herbe, on chante, on danse, on fume et surtout on écoute de la musique (« rock », « pop » ou « folk » d'origine étrangère ou régionale française). En province, la fête foraine* attire beaucoup de jeunes, ouvriers, paysans ou lycéens.

La moto est quelquefois aussi le point de départ de loisir* collectif. Avoir une moto, c'est déjà avoir la possibilité de connaître d'autres jeunes dont le seul point commun sera peut-être le même « amour » pour la machine. A Paris, des centaines de garçons et de filles se réunissent tous les vendredis soirs boulevard Sébastopol, à la Bastille, ou

vre seul ou vivre en groupe : faut-il choisir ?

place d'Alésia, casqués*, bottés*, habillés de cuir. Ils tournent en rond sur leur machine puis partent brusquement, par bandes, en faisant du bruit, au nez des automobilistes qui ne les aiment pas beaucoup.

Avoir une moto cela coûte cher ; beaucoup l'achètent à crédit*. On l'achète rarement parce qu'elle est utile mais surtout parce qu'on en est « amoureux ». Les filles montent derrière les garçons mais certaines d'entre elles conduisent seules des motos, habillées de cuir comme les garçons.

« Je prends des gars qui font du stop. Ils me demandent tous : « T'es un garçon ou une fille ? » et, une fois derrière moi, ils n'osent pas se tenir ... J'en ai perdu un une fois, il venait de s'asseoir derrière. Il avait dû s'asseoir sur la plaque minéralogique*. »

Faire de la moto, c'est se faire des amis sur la route, c'est partir faire des voyages, quitter plus librement la ville ; c'est aussi avoir un même langage :

« T'as vu ma nouvelle bécane ? Elle tire, c'est pas croyable ! Cent quarante kilomètres à l'heure ! Et elle tient bien les virolos, celle-là !
— Ouais, ben la mienne c'est la vraie tasse à café ! Plus rien dans le ventre : elle talonne et ses pneus sont de vraies savonnettes ! »

Une annonce* parmi d'autres dans un journal :

Fin mars : projet tour du monde en moto. Cherche compagnon de route ou compagne. Place libre derrière. Ai déjà voyagé en Afrique du Nord à moto. Ecrire à :
Patrick Riou, 21 rue Dufour, 92220 Bagneux.

ne moto c'est bien, mais mille motos ?

Petit lexique des motards :

Une brêle, une meule, une bécane, la bête : une moto
Une caisse à savon, une caisse à roulettes : une voiture
Une tasse à café : une moto de 50 cm^3
Une moto arrache velu, elle tire : elle va très vite
Une moto est un veau, elle n'a rien dans le ventre : elle ne va
pas assez vite
Une moto talonne : elle a une mauvaise suspension
Râcler les pots : prendre un virage sur l'aile
Bien tenir les virolos ou les virolets : bien tenir les virages
Des savonnettes : des pneus lisses

En France, pour conduire une moto de plus de 125 cm^3, il
faut avoir seize ans et passer un permis spécial.

Les journaux des motards :

Motocyclisme	Moto Touring
Moto-Journal	Le Nouveau La moto
Motorama	La Revue des Motards
Moto Revue	

Loisirs individuels

Et quand ils sont seuls ? Les jeunes Français,
comme tous les jeunes du monde, lisent des livres
d'aventures, des romans policiers surtout et des
journaux (ceux de leurs parents et ceux qui sont
écrits pour eux), écoutent la radio (il y a des émissions qui sont faites pour les jeunes), regardent la
télévision (surtout à la campagne). De temps à
autre, ils vont voir une exposition mais fréquentent
peu les musées. Les plus adroits font des travaux
manuels : tricot, couture, bricolage, artisanat, etc.

En 1971,

à 19 ans : 72% des garçons lisaient au moins un quotidien par semaine.
62% des filles lisaient au moins un quotidien par semaine.

à 20 ans : 56% des garçons lisaient un quotidien tous les jours.
44% des filles lisaient un quotidien tous les jours.

La presse pour les jeunes :
La presse des vedettes

« Mai 1968, la réforme de l'éducation, l'élection du président de la République, l'orientation professionnelle, le tiers-monde et le reste . . . connais pas ! Mais Claude François, Ringo et Sheila, Patrick Juvet, alors là oui ! Je les connais, je les aime. Je sais tout sur eux : leurs joies, leurs peines, leurs succès, leurs petits problèmes quotidiens. Pourquoi ? Mais parce que je lis très régulièrement *Podium*, *Stéphanie*, *Hit* et quelques autres. »

Voilà ce que pourrait dire une jeune fille de treize-quatorze ans, élève de 5ème de la banlieue parisienne.

Jean-Paul Ciret, *Presse-Actualité*, septembre-octobre 1974, n° 94

Un seul sujet, en effet, dans cette presse : les vedettes de la chanson, leurs vies, leurs amours, leurs châteaux, leurs voitures ou leurs motos. Des jeux, des photos, des conseils de beauté pour les filles. Et beaucoup de publicité. Ces journaux sont souvent liés à des chaînes de radio.

Principaux titres *Salut les copains*, le plus ancien, mensuel*, 743 000 exemplaires (octobre 74)
Hit, mensuel, 672 000 exemplaires (novembre 73)

Podium, mensuel, 225 000 exemplaires
(octobre 73)
Stéphanie, mensuel, 345 000 exemplaires
(1973)
Mademoiselle Age Tendre, mensuel,
500 000 exemplaires

La presse dite éducative

Ce sont des journaux qui distraient mais aussi qui aident les
jeunes à comprendre le monde, à y participer, à y vivre. On
y trouve des reportages sur des problèmes sociaux, des
débats entre lecteurs (par exemple sur le tourisme dans les
pays pauvres, sur la censure, le problème de la femme,
l'urbanisme, etc.).
Ces journaux n'ont pas ou peu de publicité, ne sont pas liés
à des chaînes de radio et se vendent surtout par abon-
nement.

Principaux titres   *Formule 1* (pour les garçons)
J2 Magazine (pour les filles)
Record, bi-mensuel, 120 000 exemplaires.

La presse politique

Elle n'est pas toujours vraiment écrite pour les jeunes mais
elle est beaucoup lue par eux.

Principaux titres   *Pilote* qui présente des bandes dessinées*
de bonne qualité et une version comique
de l'actualité.
Charlie-Hebdo
La Gueule ouverte

La presse marginale

Deux journaux qui s'intéressent surtout à la musique
anglo-américaine :

Rock and Folk, mensuel, 55 000 exemplaires
Best, mensuel, 100 000 exemplaires
Un journal inspiré de la presse « underground » américaine :
Actuel, mensuel

Pendant les vacances

Les trois quarts des jeunes de quatorze à vingt-quatre ans partent en vacances ; les autres restent chez eux.

« Les vacances ? Je les passe à la maison. Dans une ferme, il y a du travail pour tout le monde. J'aime d'ailleurs beaucoup ces vacances en pleine campagne », dit Sylvie, fille d'agriculteur.

Ou bien, ils travaillent : des petits travaux pour avoir un peu d'argent de poche, pour voyager ensuite, ou quelquefois, parmi les étudiants, un travail un peu plus important qui permet de vivre en attendant la bourse de l'année scolaire.

Christiane : « L'an dernier, j'ai voulu travailler. J'ai travaillé tout le mois de juillet dans un hôpital : je lavais la vaisselle. Mon travail était assez dur parce qu'il faisait très chaud mais les employés étaient très gentils. J'espère recommencer l'année prochaine. »

Des organisations aident les jeunes à trouver du travail l'été. Le C. R. O. U. S. (Centre Régional des Œuvres Universitaires) par exemple, organise, avec le C. N. J. A. (Centre National des Jeunes Agriculteurs), l'« opération vendanges ». Dix mille jeunes partent ainsi chaque année faire les vendanges* en Alsace, dans le Beaujolais, le Bordelais, en Provence. Le travail est dur mais on s'amuse bien aussi. Quand on ne cueille pas le raisin*, on peut cueillir d'autres fruits ou des légumes, ou encore faire la moisson.

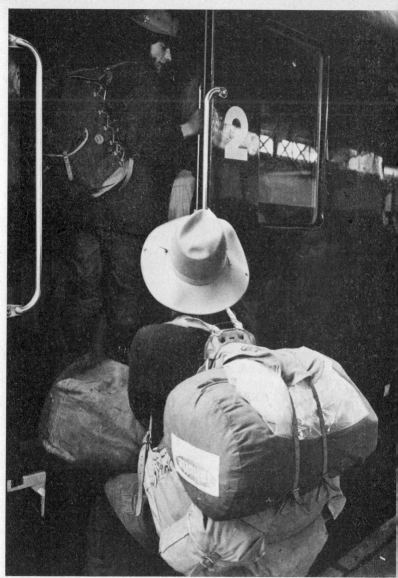

Partir ce n'est pas mourir, c'est vivre enfin !

44

Dix mille jeunes font chaque année les vendanges.

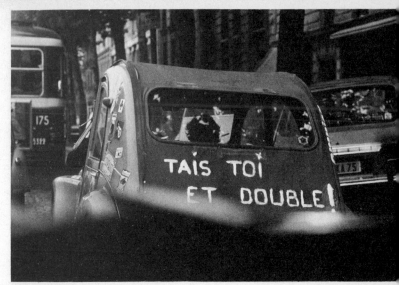

TAIS TOI ET DOUBLE!

Images de départ et de vacances

Ceux qui n'ont pas pu aller au grand air trouvent parfois du travail dans un grand magasin (comme vendeur), aux P. T. T.*, dans les hôpitaux, à la S. N. C. F.*, dans un bureau, ou encore conduisent une voiture comme chauffeur dans une agence de tourisme, s'occupent d'enfants dans des colonies de vacances, etc.

Et, avec l'argent qu'ils gagnent, ils pourront, le mois suivant, voyager en France ou à l'étranger avec leurs parents ou, le plus souvent, seuls ou avec des amis, car disent-ils « en famille, ou avec des groupes scolaires, on ne connaît pas vraiment un pays ». 60% partent seuls ou avec des amis.

L'an dernier, 80 000 jeunes de moins de vingt-six ans ont pris l'avion pour des pays lointains (des voyages en avion à prix spéciaux sont organisés pour les jeunes) mais le voyage normal en avion est souvent trop cher pour eux. Aussi, beaucoup partent en auto-stop et c'est l'aventure, le plaisir de rencontrer des gens nouveaux, d'aller un peu au hasard en prenant son temps, de dormir dehors ou chez des amis connus ou inconnus comme celui-ci qui met une annonce dans un journal :

Si tu es sur la route et que tu as envie de t'arrêter chez un ami pour une ou plusieurs nuits, alors viens ! Je sais ce que c'est la solitude* mais il y a de la place chez moi. Je ne demande rien et tu fais ce que tu veux. Amitiés, Joël Richier, Place de la Duchesse Anne, Nantes

Les jeunes dans une société de consommation*

Après 1945 (fin de la Deuxième Guerre mondiale), il y a eu beaucoup de naissances en France. Actuellement, les jeunes sont nombreux, nous l'avons vu. De plus, une grande partie d'entre eux travaillent et gagnent de l'argent (1 100 F par mois environ dans la région parisienne). Ceux qui ne travaillent pas reçoivent une aide de leurs parents. Mais tous les parents ne donnent pas facilement de l'argent de poche* :

Paule, seize ans, a décidé de faire un « marché » avec sa mère : « Elle ne me donnait jamais rien et lorsque je lui demandais dix francs pour aller à la piscine, elle disait toujours que les jeunes ne voulaient rien faire, qu'ils étaient paresseux et qu'ils attendaient tout des parents sans faire le plus petit effort. Alors nous avons fait un marché : le dimanche matin, je fais les lits, le ménage, le repas. Elle me donne cinq francs et ainsi j'ai de l'argent sans en demander. »

C'est leur nombre, l'argent qu'ils ont, qui explique sans doute la place que tient la jeunesse dans notre société de « consommation » après les années 1960. La jeunesse fait vendre. Aux adultes d'abord : la jeunesse leur est présentée comme la joie de vivre, le bonheur, la santé, l'amour, la

S'ils avaient beaucoup d'argent, ils achèteraient :

voiture	22%
épargne	19%
vêtements	14%
moto	13%
voyages	11%
logement	7%
appareil photo, caméra, électrophone	6%
livres, disques	3%
meubles	2%
bateau	1%

SOFRES pour l'Express, août 1972, *Jeunes de 15 à 20 ans.*

beauté, la liberté, tout ce qu'ils n'ont plus peut-être ; et la publicité présente, sur les murs, dans les journaux, au cinéma, des jeunes souriants, insouciants* (donnant une image des jeunes qui est loin d'être réelle).

— Pour rester jeunes, buvez l'eau X . . .
— Soyez jeunes et dans le vent*, avec les tricots Y . . .

Les marchands de boissons, voitures, cigarettes, produits de beauté se servent aussi de la jeunesse. Et l'on chante, à la radio, à la télévision, qu'il est bon d'avoir vingt ans !

Mais la publicité s'adresse également aux jeunes pour qu'ils achètent, eux aussi, des produits faits pour eux ; et l'on crée une mode « jeune », et des vêtements qu'ils voudront tous porter. Les marchands de disques, d'électrophones*, de magnétophones, d'appareils photo* comptent beaucoup sur les jeunes ; les compagnies d'aviation* baissent leurs prix pour eux. Même les banques pensent à eux. On a vu récemment une banque offrir ses services pour toutes les catégories de jeunes : « Si vous sortez du service militaire, si vous partez faire un long voyage, si vous vous mariez, nous pouvons vous aider . . . »

Aujourd'hui vous êtes étudiant, et déjà nous pensons au jour où vous allez entrer dans la vie professionnelle. A ce moment-là vous aurez absolument besoin d'un compte-chèque*. Alors, prenez un peu d'avance ; ayez-le tout de suite . . .
Venez nous voir le plus tôt possible. C'est votre intérêt*.

Des émissions de radio pour les jeunes les aident (Inter-service jeunes créé en 1964), mais aussi parfois les invitent à acheter (radios périphériques). Des journaux comme *Salut les Copains*, *Mademoiselle Age tendre* offrent à leurs lecteurs une image des chanteurs qu'ils aiment (ou qu'on leur fait aimer) qui est un appel à l'achat de disques nouveaux, mais également de vêtements, de produits de beauté, etc.

Tout est là pour donner déjà aux jeunes l'habitude d'acheter, même si leurs besoins ne sont pas réellement ceux que met en avant la publicité.

On comprend mieux alors pourquoi certains adultes protestent et disent : « Il n'y en a que pour les jeunes ! » Mais sont-ils responsables ?

Certains jeunes réagissent également. Par exemple, les « hippies » essaient de vivre en dehors de cette société de consommation ; d'autres se contentent d'écrire sur les affiches* ce qu'ils pensent de la publicité qui leur est destinée*.

les jeunes aiment l'argent

Ils aiment l'argent signé Ravinet d'Enfert.

Ravinet d'Enfert a su créer, en métal argenté, une orfèvrerie contemporaine de qualité.
Héritier d'une longue tradition, éditeur d'une collection classique très réputée.
Ravinet d'Enfert propose désormais des créations de notre temps comme
les services "Président", "Brantôme". Ravinet d'Enfert les présente
avec des couverts, des plats, des luminaires et des accessoires de table
dans son catalogue "lignes actuelles"
Demandez-le chez les détaillants agréés ou à l'aide du bon à découper.

RAVINET D'ENFERT

83, RUE DU TEMPLE - PARIS-3ᵉ

Leur vision du monde

Les jeunes, leurs parents, les adultes.

Nous avons posé à plusieurs jeunes des questions sur leurs parents et sur les adultes et voici ce qu'ils ont répondu :

Alain, fils d'un facteur, 16 ans :

« Mes parents font beaucoup pour moi. Ils sont très courageux. Il faudrait à ma mère plus d'argent pour pouvoir faire des courses, acheter des vêtements, aller au cinéma, aller chez le coiffeur, ne plus compter. »

Clotilde, 15 ans, fille d'un ingénieur, parisienne :

« Moi, je veux tout changer : je n'aime pas ce que je vois autour de moi. Les parents ? Ils vivent dans un autre monde. Ils ne lisent pas les livres que nous lisons, ne comprennent rien aux films que nous aimons et encore moins à la musique que nous écoutons. »

Anne, 14 ans, fille d'un ouvrier :

« Mon père répète tous les soirs qu'il en a assez. Il crie et puis après il regarde la télé. Quand je lui dis qu'il ne fait rien pour changer, il me dit : « Tu crois que c'est simple. Quand on se marie et qu'on a des enfants, c'est fini, on ne peut plus. C'est pour ça que toi, il faut que tu réussisses à ton bac, que tu aies un bon métier. » On peut parler de n'importe quoi avec les parents, ça finit toujours de la même manière : il faut réussir au bac. »

Pierre, 14 ans, son père est chimiste :

« Moi, mon père ne pense qu'à gagner de l'argent, pour sa voiture. Il ne rit pas souvent. Il est toujours sérieux, mais il a raison, l'argent c'est important, l'argent c'est tout. »

Jacques, 17 ans, fils d'un employé :

« Mes parents font beaucoup de choses pour moi, c'est vrai, mais ils me le disent trop souvent. J'aimerais parler plus avec eux. A table ils ne me parlent que de mon travail : « As-tu bien travaillé ? Qu'est-ce que tu as fait au lycée ? Mange ! Tiens-toi droit ! »

	Lycéens	Élèves instituteurs	Apprentis	Jeunes salariés	Moyenne
Il y a un fossé	44%	37%	32%	34%	37%
Il n'y a pas de fossé mais de grandes différences	37%	35%	44%	33%	39%
Il y a seulement de petites différences	19%	28%	24%	33%	24%

Dusquesne, *les 13-16 ans*, Grasset.

Annie, 18 ans :

« Pour moi, il y a deux mondes : ceux qui veulent mon bien : les parents, les professeurs, la directrice, l'épicier, et mes amis à qui je parle de mes problèmes de cœur et que j'aime voir pour écouter des disques. »

Mais il est aussi intéressant d'écouter des parents :

Monsieur G. (père de deux enfants) : « Les gens disent beaucoup de mal des enfants aujourd'hui. C'est vrai, nous ne sommes pas toujours d'accord, c'est même normal mais ce n'est pas toujours la faute des enfants, c'est souvent la faute des parents. Tenez, moi, je discute avec mes enfants, je défends rarement quelque chose, je n'ai jamais forcé mon fils à avoir les mêmes idées que moi. Il a beaucoup de liberté. De cette façon, nous sommes heureux, tous les deux, nous sommes des amis. »

Madame D. (mère de quatre enfants) : « Moi, je ne suis peut-être pas moderne, mais je crois que c'est impossible. De mon temps... maintenant, ce n'est pas pareil. Les enfants demandent trop de choses et aussi ils veulent toujours avoir raison. Ils se moquent des ordres. Le père n'est plus un chef. Il doit donner de l'argent aux enfants pour s'habiller, pour manger, pour les vacances, pour le cinéma, pour acheter de l'essence... Il faut plus, toujours plus, encore plus. Pour un enfant, les parents doivent beaucoup donner, mais ils ne doivent jamais obliger, jamais punir. Je trouve que ce n'est pas juste. Les enfants ont peut-être des droits, mais ils ont aussi des devoirs. »

Les rapports* entre les jeunes et les adultes sont donc assez difficiles : le père n'est pas souvent là. Il pense surtout à gagner l'argent de la famille et voit très peu ses enfants. Il n'a pas le temps de s'occuper d'eux en semaine. La mère est souvent trop prise par son travail à l'extérieur ou par son travail de mère de famille. Il y a un sujet où les jeunes étonnent le plus leurs parents, c'est l'amour.

81% des jeunes Français entre 16 et 23 ans souhaitent se marier un jour.

67% des garçons } font l'amour avant 20 ans.
43% des filles

88% des jeunes n'ont jamais parlé de leurs problèmes de ♡ avec leurs parents

40% des garçons } ne parlent jamais à personne
36% des filles   de leurs problèmes de ♡

Information sexuelle dans les lycées depuis peu de temps, en 6ème et 5ème, 2 à 3 heures par mois.
Parmi les parents les plus hostiles* à cette information : les ouvriers, les agriculteurs, les catholiques.

Occupation	Mère	Père	Les deux	Autres personnes
Aide les enfants dans le travail scolaire	31%	14%	21%	34%
Signe les livrets scolaires*	20%	25%	24%	31%
Parle aux professeurs	40%	14%	18%	28%
Parle au médecin	60%	3%	16%	21%
Éducation sexuelle	28%	5%	22%	45%
Éducation religieuse	37%	3%	20%	40%

Enquête internationale 1969 (réponses françaises) parue dans *Femme Pratique* en 1972.

L'amour

Pour les jeunes il y a quatre moments dans la vie amoureuse :
● on flirte avec
● on sort avec
● on vit avec
● on se marie avec

Flirter, c'est pour les jeunes montrer publiquement qu'on a été remarqué par quelqu'un. On flirte avec pendant une « boum* ». Le flirt a la vie très courte : une ou deux soirées. Quelquefois on flirte avec plusieurs personnes la même soirée. Très vite on passe ou on ne passe pas au deuxième moment : on sort avec : on parle beaucoup, on sort seul sans les amis, on s'embrasse et quelquefois on fait l'amour. Les filles pensent de moins en moins qu'il est très important de n'avoir aucune relation sexuelle avant le mariage. Mais près de la moitié des jeunes filles sont contre les méthodes contraceptives* et les garçons n'y comprennent pas grand-chose.

Aimer n'a pas le même sens qu'avant. Aimer c'est avoir envie d'être seul avec une fille ou un garçon, avoir envie d'être heureux avec elle ou lui.

Catherine, 22 ans : « As-tu été souvent amoureuse ? — Une dizaine de fois. — As-tu souvent dit je t'aime ? — Jamais. »

On ne parle pas d'amour. C'est pour la télévision, le cinéma, les livres. Aujourd'hui, à 18 ans, c'est quelque chose de connu mais qu'il faut vivre, c'est l'espoir. 40% des garçons et 47% des filles de 15 à 20 ans pensent qu'on ne peut connaître le grand amour qu'une seule fois dans sa vie, et alors c'est le mariage. Mais on se marie plus tard en France depuis quelque temps. Souvent les filles font des études plus longues. Généralement le futur « partenaire » est choisi dans le même milieu social et 78% d'entre eux veulent entre 2 ou 3 enfants. Un petit nombre de jeunes — et de moins jeunes — ne veulent plus du mariage traditionnel. Ils vivent souvent ensemble sans se marier officiellement. Et quand ils se marient, ce n'est plus avec les mêmes traditions qu'autrefois (fiançailles officielles, robe longue blanche pour les filles, grand repas, etc.).

Les amoureux sont seuls au monde.

Si les parents comprennent mal leurs enfants et si les enfants ne comprennent pas toujours leurs parents, ce n'est pas nouveau mais c'est devenu plus grave aujourd'hui. Bien des choses ont changé et les mots n'ont plus le même sens. Le racisme*, la marche sur la lune, la télé-couleur, la Chine en direct, New York en trois heures d'avion de Paris, la pilule*, les gens qui vivent avec le cœur d'un autre, l'arme atomique, les motos, c'est la vie des jeunes tous les jours. C'est aussi la pollution*, la violence, la drogue, le chômage, Saint-Tropez*, la guerre (Vietnam, Pakistan, Israël, Irlande . . .). Tout cela, tous les jours, sur les écrans* de la télévision, les pages des journaux, les affiches sur les murs de toutes les villes, offertes aux yeux des petits qui commencent à regarder, qui ne connaissent que ce qu'ils voient.

La réponse « parce que c'est comme ça » ne marche plus. C'est aux parents, pas seulement aux mères, d'essayer de comprendre pourquoi ça ne va plus. Répondre « c'est pour ton bien » ne suffit plus parce que qu'est-ce que le bien aujourd'hui ? Les informations que les parents ne donnent pas, les enfants les trouvent à la télé, au cinéma, sur les bandes dessinées qui « savent ». Mais ce qui est grave, c'est que ces informations ne sont pas toujours données pour éduquer ou pour instruire. Elles sont souvent données pour faire consommer à n'importe quel prix.

On en arrive aux problèmes politiques. De ces problèmes, que pensent-ils ?

La politique

Demandez à Patrick, Sylvie, Robert s'ils font de la politique et ce qu'ils en pensent. Comme beaucoup, ils vous répondront : « Moi, je ne fais pas de politique ! » — « La politique ? c'est du bavardage* ! » — « Les hommes politiques ? Ils ne pensent qu'à leur bonheur personnel, à la richesse, au pouvoir et pas aux gens qui les élisent*. » 57% estiment que le Parlement* et les députés ne servent pas à grand-chose. D'ailleurs, Pascal, l'un d'entre eux, résume* assez bien ce que les jeunes pensent à propos d'une loi sur le service militaire votée en 1973 : « Quand la loi est passée devant le Parlement, un seul député* s'y est opposé*. La jeunesse ne compte pas. Quand je vois que les députés ont plus de quarante ans, que le plus jeune a plus de trente ans, que puis-je attendre d'eux ? ».

Et pourtant ce sont ces mêmes jeunes que n'intéressent pas les jeux de la politique traditionnelle (élection — parlement — député) qui ont souvent une façon de penser, d'agir « politique ». Seulement, ils l'expriment directement. C'est ainsi qu'ils peuvent se retrouver des milliers dans la rue. Au

Debout ou assis . . . même combat

mois de mars 1973 par exemple, les lycéens, les élèves de C. E. T., de jeunes ouvriers, et même des étudiants se sont retrouvés ensemble dans la rue pour protester contre un projet de loi sur le service militaire. Parmi eux, peu de réels militants* appartenant à une organisation ou à un parti*, (depuis mai 1968 les jeunes sont de plus en plus sortis des partis politiques traditionnels). Ceux qui militent à l'intérieur d'une organisation sont finalement une minorité* et ils ne suffisent pas à expliquer de vastes* mouvements comme celui de 1973 par exemple. Ils étaient nombreux ces jours-là et pourtant un lycéen déclarait à un journaliste du *Monde* : « L'action des jeunes, directement, ne peut rien donner. Ce sont les adultes qui ont tous les pouvoirs. » Cependant, ils essaient, espérant toujours qu'une action de masse* pourrait s'opposer au monde adulte. Ils n'ont pas obtenu grand chose et se sentent encore plus incompris* par la société dans laquelle ils vivent. Ils s'intéressent de plus en plus aux problèmes économiques et sociaux, en France et à l'étranger : au racisme, aux problèmes des travailleurs immigrés en France, à ceux des minorités nationales (Bretagne, Pays Basque, etc.), aux problèmes que pose la destruction de la nature par l'homme, aux guerres, aux pays sous-développés, etc. Ils sont ouverts, ils s'intéressent mais ils n'agissent pas tous. Pour ceux qui agissent, l'action politique veut dire surtout « grève », « manifestation* » et « manifestation violente » parfois. C'est peut-être là qu'ils expriment leur révolte* à l'égard de ceux qui gouvernent, à l'égard des C. R. S.* qui représentent souvent pour eux l'attitude de beaucoup d'adultes (de ceux qui n'aiment pas les jeunes), à l'égard d'une école où ils s'ennuient trop souvent, où ils voudraient trouver davantage de dialogue, de participation réelle à la vie de l'école.

Ah, si l'on retrouvait un monde sans automobiles !

« Chaud ! chaud ! chaud ! Le printemps sera chaud ! » des milliers de voix ont ainsi, en 1973, chanté leur malaise*, leur révolte et leur espérance — plus violentes chez les lycéens que chez les jeunes ouvriers ou les jeunes agriculteurs (davantage installés dans le monde adulte) — mais qui traduisent un ennui*, une certaine angoisse* devant l'avenir*, leur avenir et celui du monde.

On peut voter en France à partir de dix-huit ans. On est en France majeur à dix-huit ans.

Petit lexique lycéen :

C'est fou :
C'est super :
C'est dingue : } C'est extraordinaire, formidable.
C'est dément :
C'est le pied : c'est très bien, on est très bien.
Ras-le-bol : ennui
C'est débile : c'est mauvais, ce n'est pas bien.
Exemple : un film débile.

Vers un nouveau monde

Parler des jeunes Français, nous venons de le voir tout au long de ce petit livre, c'est en fin de compte parler de façons de vivre différentes, de pensées différentes, de manières de s'habiller différentes, etc. Un jeune ouvrier, un jeune paysan, n'aura pas les mêmes loisirs, les mêmes façons de réagir qu'un lycéen par exemple.

Et pourtant si l'on parle si souvent des jeunes et de la jeunesse dans son ensemble, c'est qu'ils ont des points communs. Pas seulement leur âge mais aussi parce que l'on sent, à travers eux, la naissance de quelque chose de nouveau ; cette chose nouvelle qui fait qu'ils se sentent unis devant un événement qui les concerne ; qui fait qu'ils réagissent de façon semblable, chacun dans son milieu, devant la vie que la société leur offre. Un autre de leur point commun : une certaine peur devant l'avenir. Ils ne savent pas très bien ce qu'ils vont devenir plus tard, ce que le monde va devenir. Les guerres, la famine, la bombe atomique, la destruction de la nature, tout ceci leur fait craindre l'avenir.

La peur devant l'avenir, mais aussi souvent, chez beaucoup, l'ennui dans le présent, l'ennui dans les villes, construites pour les adultes plus que pour les jeunes, l'ennui dans leur travail, dans leurs écoles.
Ce qu'ils pensent du monde dans lequel ils vivent ?

Souvent pas grand-chose de bien.

« Beaucoup de choses vont mal, l'Éducation Nationale, les loisirs, la Défense nationale, les rapports sociaux entre les hommes, l'urbanisation* ... Il n'y a qu'une chose de bien : le paysage — malheureusement on le détruit ... C'est la forme de société qu'il faudrait changer. La liberté, la démocratie, ça n'existe pas. La justice ? elle n'est pas la même pour tous ... » C'est ce que répondait G. 16 ans, lycéen en 3ème A, fils d'ouvrier des P. T. T., parisien, à la question : « Mais qu'est-ce qui ne va pas ? »

Les adultes ne sont plus des modèles. Trop souvent ils enseignent une chose et en pratiquent une autre. Les jeunes ouvrent les yeux sur la société qui les entoure et la trouvent cruelle, construite sur l'argent, dure pour les faibles, surtout dans les grandes villes où les gens vivent côte à côte sans se connaître. La colère, l'ennui, c'est parfois ce qu'ils lisent sur le visage des adultes qu'ils rencontrent. Ils voient trop souvent leurs parents, transformés en robots*, travailler et ne pas profiter de la vie.

Alors que faire ? Refuser cette vie que certains résument en trois mots « métro-boulot-dodo* » ? Les jeunes ne le font pas tous. Certains jouent le jeu, surtout ceux qui font des études de commerce, de médecine, ceux qui seront techniciens, architectes, etc. et aussi les jeunes ouvriers parce que cette société leur permet d'avoir, petit à petit, les biens que n'ont pas eus leurs parents (voitures, machines à laver, maisons, voyages, etc.) Ceux qui contestent* le plus cette société sont les lycéens, les étudiants en lettres, en sociologie. Beaucoup d'entre eux ne veulent pas d'un métier qui leur permette de gagner beaucoup d'argent (c'est ce que souhaiteraient pourtant leurs parents — enquête J. E. C.) mais plutôt un métier qui soit intéressant et qui laisse le temps de vivre. Ce sont eux aussi, qui, plus vieux, (de 18 à 24 ans) contestent la famille, le mariage, les parents (les jeunes ouvriers et paysans, eux, demandent encore souvent conseil à leurs parents), l'armée, la politique de leur pays, la destruction des biens naturels. Ainsi ont eu lieu, à Paris, en 1972 et 1974, deux manifestations à vélo pour protester contre les automobilistes et contre tout ce qui détruit petit à petit la nature. En province, au Larzac, ils ont manifesté pour les mêmes raisons et aussi contre l'extension d'un camp militaire*. Manifestations joyeuses : de la musique, des chansons, des cris, des vêtements de toutes sortes et des rires.

Rire, vivre heureux, maintenant et plus tard, c'est ce qu'ils voudraient tous. Trouver le bonheur en faisant un travail qui leur plaît et qui ne les écrase pas en ayant des rapports humains différents de ceux qui existent maintenant et la possibilité d'inventer, de créer, de s'exprimer librement dans une société qui n'empêche plus la « fête », voilà ce qu'ils aimeraient.

Certains essaient de construire cette vie nouvelle en allant vivre à la campagne en communautés. Ils sont quelques milliers à avoir choisi le retour à la terre et à la communauté. D'autres essaient simplement, là où ils sont, de vivre mieux avec les autres, de trouver une autre forme d'amour, une autre façon d'être.

Mais cette évolution est-elle typiquement française ? Il ne semble pas. Les jeunes Français rejoignent, au-delà des frontières, les jeunes des autres pays. Ils participent eux aussi au grand mouvement international de la jeunesse qui secoue* les pays industrialisés. Peut-être préparent-ils l'homme de demain, et, qui sait, une civilisation nouvelle, plus juste et plus humaine ?

Si vous voulez venir en France

Quelques conseils et adresses

Se préparer

Ça y est... c'est décidé... Ce seront des vacances « terribles » se disent Olaf de Stockholm, Daisy d'Edimbourg, ou Carmen de Barcelone : aux vacances prochaines nous irons en France... Oui, mais comment faire ? Que voir ? Où se loger ?

Attention ! Le voyage va déjà commencer en Suède, en Écosse ou en Espagne et ce sera très excitant de réunir toutes les informations nécessaires et de se partager les visites utiles.

Avant de partir, pensez à :

1 Votre carte d'identité ou votre passeport.

2 Votre carnet de santé avec indication du groupe sanguin.

3 Si vous êtes étudiant, votre carte d'étudiant et une carte internationale d'étudiant (la demander dans votre pays à vos services universitaires). Avec cette carte, vous pourrez manger dans les restaurants universitaires, vous paierez demi-tarif dans les musées et vous aurez des réductions* dans les théâtres, les cinémas, etc. Enfin, vous circulerez en France à prix réduit.

4 Si vous voulez loger dans une Auberge de Jeunesse (A. J.) ou camper*, une carte internationale d'A. J. ou une carte internationale de

camping que vous demanderez auprès d'une de vos associations.

5 Quelques cartes :

Carte Michelin « Routes de France » n° 989.

Carte Michelin de la région où vous irez.

6 Un *Guide Vert* (Michelin) ou un *Guide Bleu* (Hachette) de la région où vous comptez vous rendre.

7 Le petit livret : *Vacances d'été en France* (en abrégé VEF) qui contient de très nombreuses adresses utiles pour les jeunes étrangers. (10 F[1] — Avec le port* : 14,50 F) L'édition 1975 est en vente au C.I.D.J. (Centre d'Information et de Documentation Jeunesse) et dans les Services culturels des Ambassades de France.

Notez sur votre carnet :

1 L'adresse du Consulat de votre pays à Paris ou en province.

2 Le numéro de votre passeport.

3 L'adresse à Paris du C.I.D.J. :

Centre d'Information
et de Documentation Jeunesse
101, Quai Branly
75740 Paris Cedex 15 (métro : Bir-Hakeim)
Téléphone : 566.40.20
(ouvert de 9h à 19h,
sauf les dimanches et fêtes)

Cette association renseigne les jeunes sur toutes les possibilités offertes dans des domaines comme les loisirs, les sports, les vàcances, les voyages.

Pour voyager, où s'informer ?

Dans votre pays :

L'Office du Tourisme Français (adresses des

1. Les prix indiqués dans ces pages sont valables au 1-6-1975.

Offices de tourisme dans le livret VEF) pourra vous donner des prospectus* sur les régions touristiques, des listes d'hôtel avec prix, ou vous renseigner sur les transports (cars et chemins de fer). Parfois l'Agence Air-France ou U. T. A. de votre pays peut aussi le faire.

Le Bureau des Chemins de Fer Français donne les informations sur les trains, les excursions S. N. C. F. et il édite une plaquette* illustrée *S. N. C. F. – France* qui présente toutes les provinces et contient de nombreux renseignements (carte, monuments, gastronomie, autocars, etc.) sur chacune d'elles.

Enfin, les Services culturels de l'Ambassade de France vous fourniront tous les renseignements sur les cours de français pour étrangers, cours permanents ou cours d'été en France, les stages, les séjours linguistiques et culturels, les séjours de « Connaissance de la France ».

En France :

Les Syndicats d'Initiative (bureaux de tourisme des villes touristiques) auxquels vous écrirez vous enverront des prospectus sur leur région.

Voyager en France

Par le train :

Les trains sont rapides et très exacts. Vous pouvez avoir des billets moins chers.

— 30% de réduction pour un « billet de groupe » de 10 à 25 personnes et 40% pour 25 personnes et plus.

— 20% pour un billet « touristique » pour un voyage d'au moins 1 500 km aller et retour.

— Si vous avez moins de 21 ans, vous pouvez avoir une carte inter-rail, valable pour un nombre illimité de voyages pendant un mois et qui coûte 550 F.

En avion :

Vous pouvez aussi avoir :

— 25% de réduction sur Air-Inter si vous avez moins de 22 ans.

— 25% de réduction si vous faites partie d'un groupe de 10 à 19 personnes et 50% au-dessus de 20 personnes.

En auto-stop :

Attention, l'auto-stop est assez difficile en France. Arrêtez-vous en dehors des villes, seul ou à deux et n'ayez pas trop de bagages.

Si vous logez dans une cité universitaire, vous pourrez voir, affichées près du restaurant, des annonces pour voyager en auto en partageant les frais d'essence.

Pour vous loger

Différents moyens vous sont offerts mais comptez au moins de 12 à 25 F par nuit, pour une personne (de 5 à 9 F en A. J.)
Vous pourrez, cependant, choisir entre différentes possibilités.

Camping :

Il existe plusieurs terrains de camping, plus ou moins bien équipés (sanitaires, terrains de jeux, etc.). Il faut, pour y camper, avoir un « carnet de camping » international à prendre auprès d'une association de camping dans votre pays ou en France.
Vous pouvez aussi installer plus agréablement votre tente dans le pré d'une ferme et connaître ainsi des agriculteurs.

Écrivez à :

Agriculture et Tourisme
8, rue d'Athènes
75009 Paris

et demandez leur prospectus *Camping à la ferme.*

Auberges de jeunesse (jeunes de 18 à 30 ans) :
Prenez votre carte internationale d'A.J. et mettez, dans votre sac à dos, la liste des Auberges de Jeunesse en France, que vous enverra gratuitement la :
>Fédération Unie des Auberges de Jeunesse
>(F. U. A. J.)
>6, rue Mesnil
>75006 Paris
>Téléphone : 874.66.78

Si vous êtez étudiant, vous pourrez loger dans une Cité Universitaire. Vous trouverez leurs adresses dans le VEF ou vous pouvez les demander au :
>C. N. O. U. S.
>6, rue Jean Calvin
>75006 Paris

Foyers et Centres de séjour :
Le C. I. D. J. (voir adresse page 67) peut vous envoyer :
— la liste de foyers et centres de jeunes ;
— la liste des centres d'hébergement* temporaire* dans la région parisienne ;
— la liste des hôtels bon marché de Paris.

A Paris, le C. I. D. J. peut vous aider si vous n'avez pas pu vous loger dans la journée, mais allez-y car on ne vous répondra pas au téléphone.

En province, si vous arrivez dans une ville sans avoir écrit et sans connaître une adresse, vous pourrez toujours aller au Syndicat d'Initiative. (On vous donnera l'adresse du Syndicat à la gare). Ce Syndicat d'Initiative connaît les hôtels et les centres de jeunes qui ont encore des places pour vous loger et, après les heures de fermeture, on affiche la liste sur un panneau très visible de l'extérieur.

Pour se nourrir

Attention ! Les restaurants sont chers en France. Les Syndicats d'Initiative en province, l'Office du Tourisme et le C. I. D. J. à Paris pourront vous donner les adresses de restaurants bon marché et des « self-service ».

Presque tous les restaurants pratiquent le « tout compris » : vous n'avez donc aucun pourboire à laisser. Si vous avez une carte d'étudiant, vous pouvez manger dans les restaurants universitaires. Certains foyers et Maisons de Jeunes et de la Culture ont des restaurants à prix réduits.

Enfin, vous pourrez acheter sur les marchés ou au service d'alimentation des Monoprix, Prisunic, Carrefour, fruits et légumes à prix raisonnables. Si vous avez trop soif, vous pourrez aller au café où il y a toujours des « boissons pilotes » affichées : les prix de ces boissons sont peu élevés.

Pour se distraire

L'Office du Tourisme de Paris (127, Champs-Élysées, 75008 Paris) fournit gratuitement le « Calendrier des spectacles ».

A Paris, vous pourrez acheter *L'Officiel des spectacles* ou *Pariscope* qui donnent la liste des films et des pièces à voir, des concerts à écouter, des musées à visiter, etc.

En province, le Syndicat d'Initiative vous renseignera sur les spectacles de la ville ou de la région. Demandez aussi s'il existe une Maison de Jeunes et de la Culture qui pourra vous dire ce qu'elle organise.

Randonnées à pied

Dix mille kilomètres de sentiers sont préparés pour que le piéton puisse y marcher en toute tranquillité. Vous pouvez acheter la carte de la région où vous voulez aller au :

Comité National
des sentiers de grande randonnée
92, rue de Clignancourt – 75018 Paris

Vous pourrez connaître des jeunes Français en vous joignant à un groupe soit dans les Auberges de Jeunesse, soit dans les organisations de plein air. Avec ce groupe, vous pourrez pratiquer toutes sortes de sports, visiter une région, etc.

Union Nationale
des Centres sportifs de Plein air
62, rue de la Glacière
75640 Paris Cedex 13
Touring Club de France
(Service Jeunes)
65, avenue de la Grande Armée
75782 Paris Cedex 16

(Voir aussi d'autres adresses dans VEF)

Vous trouverez toutes les adresses des fédérations sportives dans une brochure gratuite (*carnet d'adresses*) que vous pouvez demander aux Services culturels de l'Ambassade de France ou au :

Secrétariat d'État à la Jeunesse et aux Sports
34, rue de Châteaudun
75009 Paris

Stages d'artisanat

Si Daisy veut faire des bijoux, Olaf de la poterie et Carmen de la vannerie ou tisser, tout est possible. Le C.I.D.J. (voir plus haut) et sa brochure VEF vous donneront de nombreuses adresses.

Quand le porte-monnaie est (presque) vide

Et si vous n'avez pas beaucoup d'argent, faut-il renoncer à venir en France ? Non, mais il vous faudra un moyen de gagner votre nourriture. Si vous êtes courageux, vous ne serez pas déçus car la vie d'un chantier ou la saison des vendanges vous paieront de votre peine.

Chantiers de travail

Voici les noms de quelques chantiers (acceptant les jeunes à partir de 14 ans) :

Club du Vieux Manoir
10, rue de la Cossonerie
75001 Paris
Téléphone : 508.80.40
(Chantiers surtout dans l'Ouest et le Sud.)

Neige et Merveille
06430 Saint-Dalmas-de-Tende
(Fouilles archéologiques.
Protection de la nature.)

Mouvement Chrétien pour la Paix
(Section des Jeunes)
46, rue de Vaugirard
75006 Paris – Téléphone : 325.49.70

Études et Chantiers
33, rue Campagne-Première
75014 Paris – Téléphone : 325.15.61
(Bretagne, Cévennes)

Union R. E. M. P. A. R. T.
(patronnée par le Touring Club de France)
65, avenue de la Grande Armée
75016 Paris – Téléphone : 727.89.89
(Regroupe des chantiers archéologiques de sauvegarde dans toute la France. Juillet-août-septembre. A partir de 16 ans.)

Signalons que, pour certains chantiers, une petite somme (de 8 à 10 F par jour) est demandée pour votre nourriture et logement mais vous ne travaillez que 4 heures par jour. Ceci vaut surtout si vous avez entre 14 et 17 ans.

Vendanges et travaux agricoles

Ces travaux sont bien payés, mais le travail est dur (surtout pour les « porteurs » des vendanges).

Le C. I. D. J. (voir p. 67) pourra vous envoyer une liste par région et par saison des travaux agricoles où un jeune étranger peut participer.

Ou bien vous vous adresserez au :

Centre de Documentation
et d'Information rurale
92, rue du Dessous-des-Berges
75013 Paris – Téléphone : 336.04.93

Travail au « pair » (pour jeunes filles de 18 à 30 ans). Vous vivrez la vie d'une famille française, travaillerez à mi-temps, (5 à 6 heures par jour), serez assurée sociale et recevrez 400 F d'argent de poche par mois. En été, il faut s'inscrire pour un séjour d'un mois minimum et, pendant l'année scolaire, de septembre à juin de l'année suivante.

Un droit d'inscription est demandé, dans chaque association, pour les frais de secrétariat.

Accueil familial des jeunes étrangers
23, rue du Cherche-Midi
75006 Paris – Téléphone : 222.50.34

Amitié mondiale
39, rue Cambon
75001 Paris – Téléphone : 073.79.68

L'Arche
195, rue de Vaugirard
75015 Paris – Téléphone : 273.34.39

Tourisme scolaire
103, avenue de Versailles
75016 Paris – Téléphone : 520.44.44

(La liste complète est donnée dans VEF et le *Carnet d'adresses*.)

Les mots difficiles

action de masse : action à laquelle participe un très grand nombre de gens.

adhérent : ceux qui participent à tout ce qui est organisé par la Maison de la Culture. Ils paient chaque année une somme d'argent (cotisation).

affiche :

angoisse : grande peur devant un danger prochain.

annonce : quelques lignes écrites dans un journal pour demander un travail, un logement, ou offrir quelque chose à vendre.

appareil-photo :

apprenti, apprentissage : jeune homme ou jeune fille qui apprend un métier. A ce moment-là, on dit qu'ils sont en apprentissage.

argent de poche : argent qui sert à acheter tout ce qui n'est pas tout à fait nécessaire.

artisan : homme qui fait un métier (tailleur, cordonnier, menuisier...) seul ou avec sa famille.

association : groupe de plusieurs personnes réunies pour faire quelque chose.

atelier : endroit où l'on peut faire de la menuiserie, de la photo, de la peinture, etc.

avenir : ce qui se passera plus tard.

bac : abréviation pour baccalauréat.

bande dessinée : histoire racontée en images.

bavardage : parler pour ne rien dire d'important.

bibliothèque : endroit où se trouvent les livres. On peut venir les lire à la bibliothèque ou seulement venir les chercher pour les lire à la maison.

boîte de nuit : endroit où l'on peut danser le soir.

boum : mot utilisé par les jeunes pour parler des soirées où ils dansent.

bourse : somme d'argent qu'on reçoit de l'État pour pouvoir faire ses études.

botte :

botté : avoir des bottes au pied.

cadres (administratifs — moyens — supérieurs) : ensemble des directeurs ou des chefs d'une société.

camp militaire : terrain qui appartient à l'armée.

camper : vivre sous la tente. Pendant l'été les jeunes partent *camper* à la montagne ou au bord de la mer. Ils font du *camping*.

C. A. P. : certificat d'aptitude professionnelle. Pour avoir ce diplôme, il faut être âgé de dix-sept ans, avoir suivi des cours spéciaux pour apprendre le métier que l'on veut faire et passer un examen. Il existe des C. A. P. pour 240 métiers différents. On peut avoir un C. A. P. de couture, de coiffure, de menuiserie, etc.

casque :

casqué : avoir un casque sur la tête.

centre de rééducation : les jeunes punis par la justice sont mis dans des centres de rééducation, où ils peuvent continuer leurs études.

C. E. S. et C. E. T. : à la fin des études à l'école primaire, les jeunes Français peuvent entrer soit dans un C. E. S. (collège d'enseignement secondaire) soit dans un C. E. T. (collège d'enseignement technique). Dans un C. E. S., les jeunes n'apprennent pas de métier particulier mais continuent des études générales. Dans un C. E. T., les jeunes apprennent un métier précis, souvent manuel.

C. F. A. : Centre de formation des apprentis. Les apprentis apprennent leur métier en travaillant et dans une école spéciale faite pour eux. Les cours ont lieu souvent le soir. Les apprentis doivent suivre huit heures de cours par semaine.

chômeur : quelqu'un qui n'a pas de travail ou qui a travaillé et n'a plus de travail.

cité universitaire : endroit où habitent les étudiants.

classes de transition : classes où vont, jusqu'à seize ans, les élèves qui, après l'école primaire, n'entrent pas dans un C. E. T. ou un C. E. S.

collectif : des loisirs collectifs sont des loisirs où l'on est plusieurs.

communauté : ensemble de garçons et filles qui vivent ensemble.

C. R. S. : Compagnie Républicaine de Sécurité (policiers).

compagnie d'aviation : société qui s'occupe des voyages en avion. *Air France* est une compagnie d'aviation.

comptable : employé qui tient les comptes dans une maison de commerce, un bureau, etc.

compte-chèque : quand on met son argent à la banque, on a un compte-chèque ; ensuite, on peut payer avec un chèque.

consommation : consommer c'est se servir de quelque chose pour manger, pour boire, pour se chauffer : on consomme du pain, du vin, du charbon, etc. On appelle « Société de consommation » une société où le problème le plus important pour les hommes c'est d'avoir beaucoup (et même trop) de choses à consommer.

(se) contenter : ne pas demander plus

contester : ne pas être d'accord.

contremaître : chef d'une équipe d'ouvriers.

copain, copine : (fr. fam.) ami(e).

crédit : acheter à crédit, c'est payer quelque chose en plusieurs fois.

député : celui qui est élu par le peuple et qui fait partie du Parlement*.

destiné : (qui leur est destinée) : qui est faite pour eux.

discothèque : endroit où l'on peut écouter des disques.

(se) distraire : après le travail, occuper son temps de façon intéressante ou amusante.

domicile : endroit où l'on habite.

échouer : ne pas réussir.

école primaire : école où l'on va de 6 à 11 ans.

écran : endroit où apparaît l'image sur un poste de télévision.

électrophone :

élire : choisir.

employés : ici, des personnes qui travaillent dans des bureaux pour un patron ou pour l'État.

ennui : s'ennuyer, c'est être un peu triste, ne pas savoir quoi faire.

enquête : faire une enquête, sur les jeunes par exemple, c'est poser des questions sur les jeunes à un grand nombre de personnes.

être dans le vent : (fr. fam.) vivre, penser, agir avec son temps.

fête foraine : fête où des gens s'installent sur une place et offrent au public des distractions (manège, loterie, tir, etc.).

flipper :

flûte :

fonctionnaire : employé de l'État.

foyer de jeunes travailleurs : sorte d'hôtel où les jeunes travailleurs peuvent coucher, dormir, à un prix assez bas.

guitare :

H. L. M. : habitation à loyer modéré ; immeubles construits par l'État où l'on paye un petit loyer.

harmonica :

hébergement : le fait de loger quelqu'un.

hiérarchie : organisation sociale dans laquelle chacun a sa place suivant ses diplômes, son métier, etc.

hostile : être contre quelque chose ou quelqu'un.

idéal : quelque chose (une façon de vivre par exemple) qui serait la meilleure ou la plus belle possible et que l'on voudrait voir arriver.

incompris : « je suis incompris par mes parents » = « mes parents ne me comprennent pas ».

insouciant : qui ne pense à rien, qui a l'esprit tranquille.

intérêt : c'est dans votre intérêt, c'est pour votre bien.

livret scolaire : petit livre où les professeurs notent et jugent le travail des élèves. Chaque élève a son livret scolaire.

loisir : 1 — temps libre où l'on peut faire ce que l'on veut.
2 — ce que l'on fait pendant ce temps libre.

licence : une carte, un papier qui montre que vous faites partie d'un club et que vous payez chaque année une cotisation (de l'argent).

magnétophone :

malaise : quand on n'est pas bien, on sent un malaise.

manifestation : faire connaître ce que l'on pense en se réunissant en grand nombre dans une rue.

mensuel : qui sort une fois par mois.

méthodes contraceptives : différents moyens utilisés pour ne pas avoir d'enfants ou pour les avoir quand on veut.

« métro-boulot-dodo » : (fr. fam.) ces trois mots valent surtout pour Paris où les gens passent tout leur temps à aller au travail (par le métro), à travailler (boulot) et à rentrer chez soi pour se coucher et dormir (dodo).

militant : quelqu'un qui se bat pour ses idées politiques.

minorité : un petit nombre.

mobylette :

municipalité : les gens qui sont élus pour s'occuper d'une ville forment la municipalité ou « conseil municipal ».

(s')opposer : être contre.

organiser, s'organiser : préparer quelque chose, mettre en ordre.

parlement : assemblée qui fait les lois.

parti : groupe politique.

participer : prendre part à quelque chose. Quand vous travaillez en groupe, vous participez au travail du groupe.

patinoire : on fait du patin sur glace à la patinoire.

pâtissier : celui qui fait et vend des gâteaux.

pilule : méthode contraceptive.

plaque minéralogique :

714 HB 75

plaquette : petit livre d'une dizaine de pages.

pollution : l'eau d'une rivière est polluée quand elle est très sale ; quand elle est très polluée, les poissons meurent.

port : ici, frais postaux.

P. T. T. : (Postes-télégraphes-téléphone) : on dit aussi P. et T. = la poste.

profession libérale : un médecin, un architecte, un avocat ont une profession libérale.

prospectus : papiers que l'on distribue pour donner des renseignements ou faire de la publicité.

qualification : diplômes, formation pour un métier.

racisme : un groupe est raciste quand il pense qu'il est supérieur à un autre groupe, le dit et le montre ; exemple : certains Blancs pensent qu'ils sont supérieurs aux Noirs.

raisin :

rapport : quand des personnes s'aiment bien, qu'elles se comprennent bien, on dit qu'elles ont de bons rapports entre elles ; en cas contraire, elles ont de mauvais rapports.

ras-le-bol : (fr. fam.) en avoir assez — ennui.

réduction : ici, une diminution de prix.

résumer : dire en quelques mots quelque chose de plus long.

retraité : quelqu'un qui ne travaille plus parce qu'il est trop vieux et reçoit une certaine somme d'argent par mois.

révolte : s'opposer très fort à quelqu'un ou à quelque chose.

robot : machine qui marche toute seule.

Saint-Tropez : village du sud de la France, au bord de la Méditer-ranée, très à la mode où l'on voit beaucoup de gens du cinéma (Brigitte Bardot, etc.).

secouer : remuer avec force.

S. N. C. F. : Société Nationale des Chemins de Fer Français.

solitude : le fait d'être seul.

système : ici signifie le système social ou même la Société. C'est la société des adultes où l'on doit travailler, où l'on est marié, père ou mère de famille, etc.

temporaire : pour un certain temps.

terrain vague : endroits, en dehors d'une ville, souvent dans des quartiers pauvres, où il n'y a rien.

tracts publicitaires : papiers que l'on distribue pour faire vendre quelque chose.

urbanisation : façon de construire les villes.

vaste : très grand.

vélo :

vendange : récolter du raisin pour faire du vin.

vent (dans le) : voir, plus haut, à *être dans le vent.*

vision du monde : la façon dont on voit le monde.

TABLE DES MATIÈRES

Qui sont-ils ? 3

Les jeunes au travail 9

Les loisirs des jeunes 26

Les jeunes dans une société de consommation 48

Leur vision du monde 53

Vers un monde nouveau 63

Si vous voulez venir en France 66

TABLE DES ILLUSTRATIONS

Photographies : Pierre Blouzard/Viva pp. 39 (bas), 45 ;
P. Chanloup, Création Berger Vauconsant/Guérard Publicité
p. 51 ; Alain Dagbert/Viva pp. 5 (bas), 6 (bas), 34, 37 (haut),
46 (haut et bas), 57, 59 (haut) ; Martine Franck/Viva pp. 37
(bas), 39 (haut) ; Hervé Gloaguen/Viva pp. 4 (haut), 24, 30
(haut), 61 (bas) ; Hachette p. 6 (haut) ; Y. Jeanmougin/Viva
pp. 15, 44 ; Richard Kalvan/Viva p. 30 (bas) ; Guy Le
Querrec/Viva pp. 4 (bas), 5 (haut), 33, 59 (bas), 61 (haut).

Photographie de la couverture : Blaise/Rapho.

Les illustrations sont de Torsten Ridell.

Imprimé en France par Hemmerlé, Petit et Cie, Paris. 8580-2-1980.
Dépôt légal n° 0545-2-1980. Collection n° 04 Édition n° 04

Ⓗ 15/4241/4